MI XIAO QUAN

"米小圈"

我上一年级啦

SHANGXUE JI
上学记"

北猫 著

QIAO ZHE YI JIA REN
瞧这一家人

四川少年儿童出版社

闪亮登场

李黎

铁头

米小圈

郝静

姜小牙

小圈妈

小圈爸

肌肉老师

莫老师

魏老师

目录

喵！

米小圈对你说

已经翻开了这本日记的小朋友，你好吗？你一定很好，因为你正在看这本会让你笑到肚皮疼的日记——我的日记。

首先自我介绍一下，我叫米小圈。好吧，我承认我的名字是有点儿好笑，同学们也都在笑我。不过，这没什么，能让别人开心一笑，这也是很值得骄傲的呀。

在小学里，我们总是既快乐又烦

恼的，就像我日记里的故事一样。你是否也在为学习成绩、严厉的老师、家长的管教、刁蛮的同桌和一些调皮捣蛋的同学而苦恼呢？别担心，一切都会好起来的。

教你一个很好的方法，你可以把这些事都写在你的日记里，然后祈祷不好的事情马上过去，开心的事情赶快都来。相信我，你一定会变得更快乐。

好啦，我要去写日记了，886……

米小圈

瞧这一家人

老爸生日快乐

4月28日 星期二

今天吃早餐的时候，老爸跑来问我："米小圈，今天是一个**特殊**的日子，你还记得吗？"

"**特殊**的日子？"我想了想，"对了，今天小牙妈做了**蛋挞**，姜小牙说请我吃，你不说我都忘记了。"

老爸差点儿气晕过去："什么呀，是比这个更特殊更重要的日子。"

"可是愚人节已经过完了呀，还有什么更特殊的日子呢？"

"米小圈，我提醒你一下，这个日子跟老爸我有着莫大的关系。"老爸提醒道。

我突然想到了："哎呀，我知道了。"

"哈哈，你终于想起来了！"老爸兴奋地抱住我。

"你上个月答应给我买一套漫画，你发工资了，对不对？"

老爸听完，把我推开，不再理我。

我看了看时钟："不好，要迟到了！老爸，我得走了，晚上回来再聊……"

我背起书包赶快冲出家门，老爸一脸的不愉快。

嘻嘻，我怎么会不记得今天是老爸的生日呢，这只是我和老妈的一个约定而已，我们准备在老爸生日这天给他一个惊喜。

来到班级，我向姜小牙和铁头求助：该送什么礼物给老爸呢？

003

铁头想来想去，说："不如送一个玩具熊吧，我最喜欢玩具熊啦。"

铁头啊，你又不是我老爸，你喜欢有什么用啊！

姜小牙说："要不就送一个电动剃须刀吧，要名牌的。"

"这要很多钱吧？可我兜里只有五元钱呀。"

李黎走过来说："米小圈，谁说送礼物一定要花钱呀！"

"李黎，你有什么好主意？"我问道。

李黎得意地说："那得看你爸爸喜

我最大的愿望就是永远不洗脚。

huan shén me   tóu qí suǒ hào
欢什么，投其所好。"

    wǒ xiǎng le xiǎng shuō   kě shì wǒ lǎo bà zuì dà
我想了想，说："可是我老爸最大

de ài hào jiù shì bù xǐ jiǎo   nà gāi sòng shén me lǐ wù ne
的爱好就是不洗脚，那该送什么礼物呢？"

    zhè ge ài hào kǒng pà   yǒu diǎnr   lǐ
"这个爱好恐怕……有点儿……"李

lí yǒu xiē wéi nán
黎有些为难。

    wǒ tū rán xiǎng qǐ lái le   duì le   wǒ lǎo bà
我突然想起来了："对了，我老爸

de lìng yí gè ài hào jiù shì   xī wàng wǒ néng huà chū yì
的另一个爱好就是，希望我能画出一

zhāng chāo jí hǎo kàn de huà lái
张超级好看的画来。"

    lǐ lí yǒu le líng gǎn   zhè yàng ba   nǐ huà yì
李黎有了灵感："这样吧，你画一

zhāng nǐ lǎo bà de huà xiàng   zuì shuài de huà xiàng
张 你 老 爸 的 画 像 ， 最 帅 的 画 像 。 ”

lǐ lí zhè ge zhǔ yi zhēn bú cuò   jì bú yòng huā
李 黎 这 个 主 意 真 不 错 ， 既 不 用 花

qián   lǎo bà yòu huì hěn kāi xīn   yú shì   wǒ lì yòng zhōng
钱 ， 老 爸 又 会 很 开 心 。 于 是 ， 我 利 用 中

wǔ xiū xi de shí jiān huà le yì zhāng shuài lǎo bà de huà xiàng
午 休 息 的 时 间 画 了 一 张 帅 老 爸 的 画 像 。

wǒ fàng xué huí dào jiā   lǎo bà zhèng mèn mèn bú lè
我 放 学 回 到 家 ， 老 爸 正 闷 闷 不 乐

de zuò zài shā fā shang kàn diàn shì
地 坐 在 沙 发 上 看 电 视 。

mǐ xiǎo quān   nǐ dào dǐ xiǎng méi xiǎng qǐ jīn tiān shì
“ 米 小 圈 ， 你 到 底 想 没 想 起 今 天 是

shén me rì zi ya
什 么 日 子 呀 ？ ”

zhè ge   wǒ dāng rán jì de ya   jīn tiān shì
“ 这 个 …… 我 当 然 记 得 呀 ， 今 天 是

lǎo bà nín de shēng rì ma
老 爸 您 的 生 日 嘛 。 ”

hā hā   mǐ xiǎo quān   nǐ zhōng yú xiǎng qǐ lái
“ 哈 哈 ， 米 小 圈 ， 你 终 于 想 起 来

le   lǎo bà gāo xìng de xiàng ge xiǎo hái zi
了 ！ ” 老 爸 高 兴 得 像 个 小 孩 子 。

wǒ cóng shū bāo li ná chū le nà zhāng chāo jí shuài de
我 从 书 包 里 拿 出 了 那 张 超 级 帅 的

老爸的画像递给他："老爸，这是我送您的生日礼物。"

老妈也抱着一个大生日蛋糕从厨房里走了出来。

老爸高兴得跳了起来："原来你们是故意骗我的呀？"

"当然，老爸的生日我米小圈怎么能忘记呢？"

老爸，生日快乐！

老爸抱住我，亲了一口："米小圈，你太够意思了，真是我最好的一个儿子。"

"'最好的一个儿子'？老爸，您到底有几个儿子呀？"

"口误，口误！"老爸笑着说。看来他已经高兴得昏头了。

我们点起蜡烛，老爸许了一个心愿，然后一口气把蜡烛吹灭了。

希望老爸的心愿不要实现。

希望米小圈能够成为特别著名的画家。

最苦的日子

4月29日 星期三

今天是我上小学以来最苦的一天。

早上，魏老师在班里宣布，下午医院的医生会来给大家发药，请大家把水杯准备好。班里顿时乱了起来，大家叽叽喳喳地讨论起来。有哪个小孩儿喜欢吃药呢？

我最讨厌吃药了！老师，不吃行不行呀？

wǒ de tóng zhuō lǐ lí hǎo xiàng kàn chuān le wǒ de xīn
我 的 同 桌 李 黎 好 像 看 穿 了 我 的 心

si mǐ xiǎo quān nǐ bú huì shì hài pà chī yào ba
思 ："米 小 圈 ，你 不 会 是 害 怕 吃 药 吧 ？ "

hā hā wǒ mǐ xiǎo quān zěn me huì hài pà chī yào
"哈 哈 ，我 米 小 圈 怎 么 会 害 怕 吃 药

ne dǎ zhēn wǒ dōu bú pà wǒ bú huì gěi lǐ lí rèn
呢 ？打 针 我 都 不 怕 ！"我 不 会 给 李 黎 任

hé xiào hua wǒ de jiè kǒu
何 笑 话 我 的 借 口 。

wǒ de hǎo péng you tiě tóu jiù shì gè xǐ huan chī yào
我 的 好 朋 友 铁 头 就 是 个 喜 欢 吃 药

de xiǎo háir
的 小 孩儿 。

上幼儿园的时候，他是我们班上吃药吃得最快的。他吃药就像吃糖豆一样简单。

记得那一次，老师还表扬了铁头："铁头同学，你一点儿都不怕苦，好勇敢呀。"

铁头得意地说："老师，这有什么呀，吃一盒药我都不怕。"

老师听完不再表扬铁头，并警告铁头，药是不能多吃的，多吃了会有生命危险。

最害怕吃药的人其实不是我，而是铁头的同桌郝静。郝静一听下午要

吃药，就趴在桌子上担忧地哭了起来。

李黎赶快劝说郝静："郝静，别怕别怕，我给你一块水果糖，吃完药把糖吃了就不会觉得苦了。"

啊？水果糖？我伸手向李黎要水果糖，可是李黎就是不给我。

李黎说："米小圈，你不是不怕苦吗？要水果糖干吗？"

"这个，这个……"

"除非你承认你害怕吃药，我才给你。"

"少来！我米小圈会怕吃药？我吃药就像吃糖一样容易。"

tiě tóu tū rán shuō mǐ xiǎo quān bú duì ya
铁头突然说："米小圈，不对呀，

wǒ jì de nǐ zài yòu ér yuán shí zuì pà
我记得你在幼儿园时最怕……"

wǒ gǎn kuài wǔ zhù tiě tóu de zuǐ tiě tóu nǐ
我赶快捂住铁头的嘴："铁头，你

yí dìng shì jì cuò le
一定是记错了。"

hěn kuài jiù dào le xià wǔ sān wèi piào liang de yī
很快就到了下午，三位漂亮的医

shēng jiě jie bēi zhe xiǎo yào xiāng zǒu jìn le jiào shì
生姐姐背着小药箱走进了教室。

jiāng xiǎo yá kàn jiàn piào liang de yī shēng jiě jie gāo
姜小牙看见漂亮的医生姐姐，高

xìng de bù dé liǎo
兴得不得了。

漂亮姐姐，我先吃，我先吃！

hé jiāng xiǎo yá bù tóng　　cǐ kè de wǒ xīn li fēi
和 姜 小 牙 不 同 ， 此 刻 的 我 心 里 非

cháng jǐn zhāng　 wǒ gǎn kuài jǔ shǒu　　 lǎo shī　 wǒ yào qù
常 紧 张 。我 赶 快 举 手 ：" 老 师 ， 我 要 去

cè suǒ
厕 所 。 "

　　bù xíng　　 chī wán yào zài qù
" 不 行 ， 吃 完 药 再 去 。 "

　　lǎo shī　 wǒ jiā li zháo huǒ le　　 wǒ děi gǎn kuài
" 老 师 ， 我 家 里 着 火 了 ， 我 得 赶 快

qù jiù huǒ
去 救 火 。 "

　　mǐ xiǎo quān　 nǐ shǎo lái　　 zuò zhe bù xǔ luàn dòng
" 米 小 圈 ， 你 少 来 ， 坐 着 不 许 乱 动 。 "

　　ài　 kàn lái táo pǎo shì bù kě néng de　　 wǒ zhǐ hǎo
唉 ， 看 来 逃 跑 是 不 可 能 的 ， 我 只 好

接受现实。

这时，一位漂亮的医生姐姐甜美地说："小朋友们，大家别怕，大家吃的药上面都有糖衣，不会……"

姜小牙赶快举手说："医生姐姐，什么叫糖衣呀？"

医生姐姐说："糖衣就是我们给药片穿了一件糖做的衣服，这样大家吃药时就会觉得很甜啦。"

姐姐，你好漂亮呀……

小朋友，你也很可爱呀！

"原来是这样呀，谢谢医生姐姐。"

姜小牙这个家伙见到漂亮女生总是很兴奋的样子，真拿他没办法。

大家开始吃药了。一位医生姐姐走到我面前，说："小同学，准备吃药啦。"

我说："医生姐姐，让我的同桌先吃吧，我妈妈说过，女士优先。"

医生姐姐一听，嘻嘻地笑个不停。

李黎对我做了个鬼脸，说："米小圈，你明明就是不敢吃。"

"才不是呢，我吃药就像吃糖一样容易。"

李黎接过医生姐姐的药，拿起水

bēi，yí xià zi bǎ yào chī jìn dù li，rán hòu zhuǎn tóu duì
杯，一下子把药吃进肚里，然后转头对

wǒ shuō mǐ xiǎo quān zhè huí lún dào nǐ le
我说："米小圈，这回轮到你了。"

wǒ jiē guo liǎng gè yào piàn bǎ tā men fàng zài shǒu
我接过两个药片，把它们放在手

xīn chí chí bù kěn chī xià qù
心，迟迟不肯吃下去。

zhè shí wǒ de hǎo péng you tiě tóu jué dìng lái jiù
这时，我的好朋友铁头决定来救

wǒ tā yào bāng wǒ chī yào dàn shì yī shēng jiě jie zǔ
我。他要帮我吃药，但是医生姐姐阻

zhǐ le tā
止了他。

hǎo ba wèi le bú ràng lǐ lí cháo xiào wǒ wǒ bǎ
好吧，为了不让李黎嘲笑我，我把

吃药是不可以帮忙的呀。

医生姐姐，我帮米小圈吃吧！

yào piàn rēng jìn le zuǐ li
药 片 扔 进 了 嘴 里 。

yí zhēn de hǎo tián ya yì diǎnr dōu bù kǔ
咦 ？ 真 的 好 甜 呀 ， 一 点儿 都 不 苦 。

jiù zài wǒ zhǔn bèi hē shuǐ de shí hou yì wài fā shēng le
就 在 我 准 备 喝 水 的 时 候 ， 意 外 发 生 了 。

jiāng xiǎo yá dà hǎn zhe xiàng wǒ pǎo lái hǎo kǔ
姜 小 牙 大 喊 着 向 我 跑 来 ： " 好 苦

ya shuǐ shuǐ shuǐ
呀 ， 水 …… 水 …… 水 …… "

jiāng xiǎo yá duān qǐ wǒ de bēi zi yì kǒu bǎ wǒ
姜 小 牙 端 起 我 的 杯 子 ， 一 口 把 我

de shuǐ hē le xià qù
的 水 喝 了 下 去 。

mā ma a nǐ shuō jiāng xiǎo yá huài bú huài tā bǎ
妈 妈 啊 ， 你 说 姜 小 牙 坏 不 坏 ， 他 把

wǒ de shuǐ gěi hē le nà wǒ hē shén me
我 的 水 给 喝 了 ， 那 我 喝 什 么 ？ ！

táng yī méi yǒu le yào piàn zài wǒ zuǐ li yuè lái
糖 衣 没 有 了 ， 药 片 在 我 嘴 里 越 来

yuè kǔ wǒ hǎn dào shuǐ shuǐ shuǐ hǎo
越 苦 ， 我 喊 道 ： " 水 …… 水 …… 水 …… 好

kǔ ya
苦 呀 ！ "

鬼屋

5月1日 星期五

zhōng yú pàn dào le wǔ yī láo dòng jié ， lǎo mā jué
终 于 盼 到 了 五 一 劳 动 节 ， 老 妈 决

dìng dài wǒ qù yóu lè yuán wán ， zhēn shì tài bàng le ！ kě
定 带 我 去 游 乐 园 玩 ， 真 是 太 棒 了 ！ 可

shì ， lǎo mā yòu shuō lǐ lí hé tā mā ma yě yào yì qǐ qù 。
是 ， 老 妈 又 说 李 黎 和 她 妈 妈 也 要 一 起 去 。

　　lǐ lí chù chù hé wǒ zuò duì ， wǒ cái bú yuàn yì
　　李 黎 处 处 和 我 作 对 ， 我 才 不 愿 意

gēn tā yì qǐ qù yóu lè yuán ne 。
跟 她 一 起 去 游 乐 园 呢 。

　　lǎo mā gěi wǒ chū le yí dào xuǎn zé tí ：
　　老 妈 给 我 出 了 一 道 选 择 题 ：

　　　hé lǐ lí yì qǐ qù yóu lè yuán wán 。
A. 和 李 黎 一 起 去 游 乐 园 玩 。

　　　nǎ lǐ yě bié qù ， zài jiā huà huà 。
B. 哪 里 也 别 去 ， 在 家 画 画 。

"在家画画？那还不如跟李黎一起去游乐园呢。"

"那你就选A吧。"

"老妈，有没有选项C啊？"

"没有。"

我们四人来到游乐园，玩了木马、海盗船、碰碰车、激流勇进，还有我最最喜欢的摩天轮。

wǒ fā xiàn yí gè mì mì nǚ háir zhēn de hěn dǎn
我发现一个秘密，女孩儿真的很胆
xiǎo wán hǎi dào chuán de shí hou lǐ lí jìng rán jiān jiào
小。玩海盗船的时候，李黎竟然尖叫
qǐ lái hā hā wǒ yǒu yí gè huài niàn tou wǒ yào hé
起来。哈哈，我有一个坏念头，我要和
lǐ lí yì qǐ qù zuò guò shān chē zài xué xiào lǐ lí chù
李黎一起去坐过山车。在学校李黎处
chù wéi nán wǒ zhè cì wǒ yào bào fu yí xià tā
处为难我，这次我要报复一下她。

wǒ duì lǐ lí shuō tóng zhuō zán men qù zuò guò
我对李黎说：“同桌，咱们去坐过
shān chē ba ǎ guò shān chē nà ge bù hǎo wán
山车吧。”“啊？过山车？那个不好玩
ba hái shi bié zuò le lǐ lí gǎn kuài zǔ zhǐ wǒ
吧，还是别坐了。”李黎赶快阻止我。
xī xī lǐ lí kěn dìng shì hài pà wǒ yòu shuō lǐ
嘻嘻，李黎肯定是害怕，我又说：“李
lí nǐ zhēn shì dǎn xiǎo guǐ nǐ lián guò shān chē dōu bù gǎn
黎，你真是胆小鬼，你连过山车都不敢
zuò
坐。”

nǐ cái shì dǎn xiǎo guǐ ne shéi shuō wǒ bù gǎn
“你才是胆小鬼呢！谁说我不敢？”
nà wǒ men yì qǐ qù zuò shéi pà shéi shì xiǎo gǒu
“那我们一起去坐，谁怕谁是小狗。”

"哼！坐就坐。"其实我也不太敢坐，不过我喜欢看到李黎恐惧的表情。

于是，我和李黎壮着胆子去买票。

这时，过山车从我们头顶飞驰而过，我们俩吓得不得了，赶快跑开了。

李黎说我没出息，跑得比兔子还快。可是李黎啊，你比我跑得快多了，我还没来得及说你呢。

游乐园里的项目我们已经玩了一大半，可是我们还想玩。在这么好玩的游乐园里，有哪个孩子想回家呢？！

这时，我和李黎看见远处有一座小城堡，上面写着"鬼屋"。我指着鬼屋说：“哇！鬼屋。李黎，你这个**胆小鬼**，敢去玩吗？”李黎硬着头皮说：“这有什么呀，不就是鬼屋吗，你敢我就敢。”

“好！我们一起去买票，这次不许再逃跑了，谁跑谁就是胆小鬼。”

“去就去。”

我们和老妈们一起来到鬼屋的**售票处**。其实我真的想逃跑，不过我要

是跑了，肯定这辈子都会被李黎称为

胆小鬼的。

票很快就买好了，我们想逃跑都

不行了，我和李黎手拉着手走进了鬼屋。

鬼屋里的灯光特别昏暗，我和李

黎刚走进去就听见阴森恐怖的音乐和

鬼叫声，我和李黎的手心开始冒汗。

突然，我踩到了一个东西。我向

下一看，啊！是一只手臂！这时，李黎

也大叫了一声，她踢到了一个骷髅头。

我们继续向前走。突然，我感觉

李黎的手拍了我肩膀一下，于是我大

声说："李黎，你拍我肩膀干什么，人

吓人会吓死人的！"

李黎说："我哪有拍你？明明是你拍的我啊！"

我和李黎回头一看，一个绿色怪物站在我们身后，龇着牙。我们尖叫着赶快向前跑，我们俩都比兔子跑得快。

我们来到了一个山洞口，突然听见一声长长的鬼叫声，从山洞里出现

吼！

救命呀！

了一个长发、白脸的女子，她脸上还有血，向我们扑来。李黎腿一软，一下子坐到了地上，不停地尖叫。我却纹丝不动，完全没有任何反应，因为我是男子汉嘛。

后来，我们终于逃出了鬼屋。我以后再也不去了。

我走出鬼屋后，开始嘲笑李黎，管

哈哈，李小胆！

她叫李小胆，管她叫李软腿。

李黎很生气，挽着她老妈的胳膊，不再理我。她老妈则安慰她："别害怕，鬼屋里的鬼都是假的。"

这时，老妈指着我的裤子说："米小圈，你的裤子怎么湿了？"我往下一看，啊？！

李黎大声喊道："呀！米小圈，你吓得尿裤子了，哈哈哈哈哈哈……"不好！被发现了。呜呜呜……

米小圈的萝卜课

5月3日 星期日

我在想，有什么方法可以让我躺在床上不去上美术班的课呢？

装晕可不行，老爸会把手伸进我衣服里挠我痒痒的，我忍不住还是会笑的。姜小牙给出的

我晕了，不能去上美术课了！

晕了还能说话？

建议是吃一点儿**巴豆**，闹一天肚子。可是，到哪里去找巴豆呢？姜小牙也不知道。老妈说，不管闹肚子，还是晕倒，或者外面刮台风，只要活着就得去美术班。

没办法，我只好乖乖地去了。

老爸骑着自行车带着我出发了。

我坐在自行车上问老爸："老爸，你那么喜欢画画，为什么自己不画画，而是天天**逼我**画呢？"

老爸给出的**答案**是他小的时候家里穷，根本没有条件去学画画，而现在岁数大了，再学已经来不及了。所

以嘛，他告诉我："米小圈同学，要珍惜这个机会哟！"

"听完老爸的这些话，我真的觉得好幸福。我要是家里穷该多好啊，就不用学画画了。"

老爸听完我的话，差点儿把自行车骑到树上去了。

今天的美术课终于有了新花样，终于不用再画白菜了，今天画的是萝卜。

萝卜比白菜好画多了，至少它是圆的，表面也比白菜光滑多了，我几笔就画了出来。哈哈，原来画画也不难嘛。

wǒ dì yī gè bǎ
我 第 一 个 把

shǒu jǔ le qǐ lái
手 举 了 起 来 。

lǎo bà zài jiào shì
老 爸 在 教 室

hòu miàn gāo xìng jí le
后 面 高 兴 极 了 ,

tā de xiào shēng chuán biàn le
他 的 笑 声 传 遍 了

jiào shì de měi yí gè jiǎo luò　　wán quán bú gù bié de jiā
教 室 的 每 一 个 角 落 , 完 全 不 顾 别 的 家

zhǎng de gǎn shòu
长 的 感 受 。

měi shù lǎo shī zǒu le guò lái　　wǒ bǎ huà jǔ le
美 术 老 师 走 了 过 来 。 我 把 画 举 了

老师, 老师, 我画完了!

哈哈, 那个画得最快的是我的儿子, 哈哈哈……

031

起来："老师，你看！"

美术老师看了看，对我说："米小圈，我让你画萝卜，你画个气球干什么？"

"啊？什么？气球！"老爸在教室后面差点儿气吐血了。

老爸此刻肯定特没面子，可是爸爸啊，我又何尝不是呢？你看旁边那个

哈哈哈　　哈哈　　真是不争气的儿子……　　呵呵

小胖子已经笑趴在地上了。

唉……我真没用，连个萝卜都画不好，真是沮丧的一天。

拔河比赛

5月5日 星期二

今天我穿了一双新球鞋去学校，是老爸给我买的，白色的鞋帮上印有金色的花边，漂亮极了。可是，我的同桌李黎根本没发现我穿了新球鞋。真是的！

上课的时候，我小声对李黎说："同桌，你看，我爸新给我买的运动鞋，怎么样？漂亮吧！"

可是李黎正在认真听课，根本不理我。于是我把脚伸

哎呀！我的鞋！

老师，我会！

到了李黎的书桌下，试图引起她的注意。就在这时，李黎刚好站起来回答问题，狠狠地踩了我一脚。

下午的体育课终于来到了，太好了，这下我的新球鞋终于可以派上用场了！

这时，我听见旁边的姜小牙跟车驰说："你看，米小圈今天穿了新球

xié　tīng shuō cǎi xīn xié jiāo hǎo yùn　　wǒ men yì qǐ qù cǎi
鞋 ， 听 说 踩 新 鞋 **交 好 运** ， 我 们 一 起 去 踩

ba
吧 。 "

kě pà de shì qing fā shēng le　　bān jí èr shí jǐ
可 怕 的 事 情 发 生 了 ， 班 级 二 十 几

gè nán shēng dōu zhī dào cǎi xīn xié jiāo hǎo yùn le　　jié guǒ
个 男 生 都 知 道 踩 新 鞋 交 好 运 了 ， 结 果

wǒ bèi　　　wū wū wū　　　mā ma a　　xiàn zài de xiǎo
我 被 …… 呜 呜 呜 …… 妈 妈 啊 ， 现 在 的 小

háir tài huài le
孩 儿 太 坏 了 ！

jiāng xiǎo yá　　wǒ gēn nǐ méi wán
姜 小 牙 ， 我 跟 你 没 完 ！

zuì kě wù de jiù shì wǒ de tóng zhuō lǐ lí　　tā
最 **可 恶** 的 就 是 我 的 同 桌 李 黎 ， 她

yě pǎo guò lái cǎi le yì jiǎo　　tā shēn wéi bān zhǎng　　zěn
也 跑 过 来 踩 了 一 脚 。 她 身 为 班 长 ， 怎

me kě yǐ zhè yàng ya
么 可 以 这 样 呀 ？！

dà jiā cǎi wán wǒ de qiú xié wǒ men de tǐ yù
大 家 踩 完 我 的 球 鞋 ， 我 们 的 体 育

lǎo shī yě jiù shì jī ròu lǎo shī ná zhe yì gēn dà shéng
老 师 ， 也 就 是 肌 肉 老 师 拿 着 一 根 大 绳

zi gǎn lái la
子 赶 来 啦 。

wǒ men xùn sù zhàn chéng liǎng pái bú zài dǎ nào
我 们 迅 速 站 成 两 排 ， 不 再 打 闹 。

wǒ de xīn qiú xié zài duì wu li shí fēn yào yǎn
我 的 新 球 鞋 在 队 伍 里 十 分 耀 眼 ，

jī ròu lǎo shī yě kàn dào le
肌 肉 老 师 也 看 到 了 。

jī ròu lǎo shī bǎ dà shéng zi lā kāi gào su dà
肌 肉 老 师 把 大 绳 子 拉 开 ， 告 诉 大

米小圈，
你的灰球鞋很
漂亮嘛。

老师呀，
这鞋本来是白
色的。

家，今天的体育课我们要举行一场拔

河比赛。

　　大家一听要举行拔河比赛，都无

比高兴，特别是我，因为我穿了新球

鞋，一定会非常厉害的。

　　肌肉老师让我们按小组分配，第

一组和第二组一队，第三组和第四组

一队。我和坏人姜小牙分到了一起。

　　大家正准备拔河的时候，发现一

个问题：这绳子不够长。我们班一共

有四十四名同学，而绳子最多只能供

三十个同学一起拔河。

　　什么都懂的车驰说："老师，这很

简单，分成男生组和女生组不就行了。"

这真是个不错的**主意**，或许这样

我就可以不和姜小牙一队了。

这时又出现了一个问题：男生组

有二十五人，有一边多出一个人；女

生组是十九人，有一边少一个人。

什么都懂的车驰同学又说："这

个更简单啊，派一个男生去女生组不

就行了。"结果肌肉老师把我派去女

生组，呜呜呜呜……老师，为什么派我

去呀，我长得很像女孩子吗？

这件事真是**丢人**啊，而且我被派

到了有李黎的那个队。

　　李黎对我说："米小圈，你可别拖我们的后腿呀。"

　　"李黎，你小瞧人，我米小圈可是个大力士。我还穿了新球鞋呢，只要有我在，咱们就肯定能赢。"

　　"才不信呢……"

　　"不信你就看着吧。"

哈哈，参加女生拔河比赛的米小圈。

哈哈

哈哈

……

女生组拔河比赛开始！1——2——3

—— 加油！我用力地拽啊拽，坏人姜小

牙和车驰笑啊笑。我才不理他们呢。

就在这时，我身后的女孩踩到了我的

鞋后跟，我的鞋被踩掉了。我赶快低

头去提鞋，手却忘记了拔河，结果绳

子一下子就被拽了过去，我们这组的

女孩儿都被拽倒了。最终，我们输掉了

zhè cháng bǐ sài　　dà jiā dōu bǎ zé rèn guài dào le wǒ de
这 场 比 赛 ， 大 家 都 把 责 任 怪 到 了 我 的

tóu shang　　mā ma a　　nǐ shuō tā men duō bù jiǎng lǐ
头 上 。 妈 妈 啊 ， 你 说 她 们 多 不 讲 理 ！

我当了一次班长

5月8日 星期五

又到了星期五，明天就可以睡懒
觉啦，好高兴呀！

魏老师中午时宣布，下午第三组
留下大扫除，其他同学到操场自由活
动。我和铁头正巧是第三组的，好倒
霉呀！

魏老师决定在我们组找一名同学
当值日班长，带领大家大扫除。

043

大家听完都兴奋地举起手来，纷
纷喊道："老师，我要当，我要当……"

我真不知道这些小孩儿都是怎么想
的，值日班长又没有权力，又要劳动，
有什么好争取的。

可是大家都举手了，如果我不举
手，魏老师一定会认为我是不热爱劳
动的孩子，于是我也把手举了起来。

我刚刚把手举起来，魏老师就指
着我说："米小圈，就是你了。"

"啊？不是吧！"

魏老师把大扫除的分配权力交给
了我，就回办公室批改作业去了。

"郝静，你去扫地。"

"是！"

"铁头，你去拖地。"

"是！"

"李黎，你去打水，然后把门和玻璃擦干净，对了，还有黑板，也擦干净。"

"哼……"

嘻嘻嘻嘻，李黎以班长的身份欺

fù wǒ yǐ jīng hěn jiǔ le   wǒ zhōng yú kě yǐ mìng lìng tā
负 我 已 经 很 久 了 ， 我 终 于 可 以 命 令 她

yì huí le
一 回 了 。

wǒ gěi zì jǐ xuǎn le yí gè bǐ jiào qīng xián yòu yǒu
我 给 自 己 选 了 一 个 比 较 清闲 又 有

qù de chāi shi   jiāo huā
趣 的 差 事 —— 浇 花 。

wǒ xǐ huan jiāo huā   yòng xiǎo shuǐ hú yì yā yì yā
我 喜 欢 浇 花 ， 用 小 水 壶 一 压 一 压

de bǎ shuǐ pēn zài huā shang   duō hǎo wán a   yì zhī hú dié
地 把 水 喷 在 花 上 ， 多 好 玩 啊 ！ 一 只 蝴蝶

luò zài le huā shang   wǒ qiāo qiāo zǒu dào hú dié páng biān
落 在 了 花 上 ， 我 悄 悄 走 到 蝴 蝶 旁 边 ，

màn màn shēn shǒu qù zhuā hú dié   hú dié fēi le qǐ lái
慢 慢 伸 手 去 抓 蝴 蝶 。 蝴 蝶 飞 了 起 来 ，

米小圈，我不会放过你的！！！

老师，我再也不敢了。

bù hǎo āi yā huā pén diào zài le dì shang shuāi chéng le
不好！哎呀！花盆掉在了地上，摔成了

liǎng bàn wū wū wū wèi lǎo shī yí dìng bú huì fàng
两半，呜呜呜……魏老师一定不会放

guo wǒ de
过我的。

bù xíng wǒ děi gǎn kuài xiǎng gè bàn fǎ yí dìng bù
不行，我得赶快想个办法，一定不

néng ràng wèi lǎo shī fā xiàn yǒu bàn fǎ le wǒ yòng tòu
能让魏老师发现。有办法了，我用透

míng jiāo bǎ huā pén zhān qǐ lái gǎn kuài xíng dòng bèi rén
明胶把花盆粘起来。赶快行动，被人

fā xiàn jiù wán dàn le wǒ gǎn máng zhǎo lái le kuān de tòu
发现就完蛋了。我赶忙找来了宽的透

míng jiāo bǎ huā pén zhān le qǐ lái rán hòu xiǎo xīn yì
明胶，把花盆粘了起来，然后小心翼

yì de bǎ diào zài dì shang de tǔ fàng jìn huā pén li   bǎ
翼 地 把 掉 在 地 上 的 土 放 进 花 盆 里 ， 把

wāi wāi xié xié de huā fú zhèng   zuì hòu bǎ huā pén fàng dào
歪 歪 斜 斜 的 花 扶 正 ， 最 后 把 花 盆 放 到

yuán wèi   dà gōng gào chéng   bù zǐ xì kàn   gēn běn kàn bù
原 位 ， 大 功 告 成 ！ 不 仔 细 看 ， 根 本 看 不

chū huā pén shuāi suì guo   hā hā   wǒ zhēn shì gè tiān cái ya
出 花 盆 摔 碎 过 ， 哈 哈 ， 我 真 是 个 天 才 呀 ！

zhè shí   lǐ lí qì fèn de pǎo le guò lái   mǐ
这 时 ， 李 黎 气 愤 地 跑 了 过 来 ： " 米

xiǎo quān   nǐ tài qī fu rén le   ràng wǒ gàn zhè me duō
小 圈 ， 你 太 欺 负 人 了 ， 让 我 干 这 么 多

huór   zì jǐ què zài zhè lǐ tōu lǎn
活 儿 ， 自 己 却 在 这 里 偷 懒 。 "

shéi shuō wǒ tōu lǎn le   nǐ kàn zhè xiē huā dōu shì
" 谁 说 我 偷 懒 了 ， 你 看 这 些 花 都 是

wǒ jiāo de
我 浇 的 。 "

wǒ cái bú xìn ne
" 我 才 不 信 呢 ！ "

bú xìn nǐ jiǎn chá yí xià
" 不 信 你 检 查 一 下 。 "

lǐ lí yì pén yì pén de jiǎn chá qǐ lái   à
李 黎 一 盆 一 盆 地 检 查 起 来 。 啊 ，

bù hǎo   lǐ lí jiǎn chá dào nà pén yǒu wèn tí de huā le
不 好 ！ 李 黎 检 查 到 那 盆 有 问 题 的 花 了 。

李黎端起我用透明胶粘过的花盆，正准备检查，突然，花盆碎了，土撒了一地。

李黎吓坏了。看着她难过的样子，我觉得有点儿对不起她，花盆明明是我打碎的。

我赶忙说："李黎，别担心，我会为你保守秘密的。"

同桌，你打碎了老师最爱的花盆。

冤枉啊！

我告老师去！

"不用了，我现在就去向老师承认错误。"说完，李黎跑出了教室。

此刻，我有点儿担心李黎了，魏老师一定不会放过她的。

大扫除完毕了，同学们都返回教室坐好，魏老师带着李黎也来到了班级。

魏老师走上讲台，说："同学们，刚才在大扫除的时候，发生了一件事。"

魏老师一定是要当着全班同学的面批评李黎。李黎这回**死定了**。

可是魏老师却说："李黎同学在大扫除的时候打碎了一个花盆，但是她立即主动来到办公室找我承认了错误。老师觉得，一个花盆并不重要，李黎同学这种敢于承认错误的勇气才很重要。大家说，应不应该向李黎学习呀？"

"应该！"同学们**异口同声**地回答。

啊？啊？啊？通常这个时候不是应该被臭骂一顿的吗？

我赶快把手举了起来："老师，老师，我也要承认错误。其实这个花盆

是我先打碎的，然后我用透明胶把它粘了起来，李黎拿它的时候，它就碎了。老师，我是不是也敢于承认错误呀？"

魏老师大怒："米小圈，你给我出去……"

助人为乐的米小圈

5月12日 星期二

最近我很苦恼，特别苦恼。

我不如车驰学习好，不如李黎听话，不如姜小牙财大气粗，不如铁头跑得快。我谁都不如，我是一棵无人喜欢的小草。呜呜……特别是魏老师，她一点儿都不喜欢我。

姜小牙说："米小圈，被魏老师喜欢有什么难的，我有办法。"

"真的？姜小牙你快说。"

铁头跑来凑热闹："我也想被魏老师表扬一次，姜小牙快告诉我。"

姜小牙说："魏老师最喜欢助人为乐的学生，我们想个办法助人为乐不就行了？"

"好啊，好啊。"铁头高兴得跳了起来。

我问道："可是谁需要我们的帮助呢？"

姜小牙说："我们可以相互帮忙呀，然后由第三个人告诉魏老师。"

下午第一节正好是数学课，魏老

shī hěn gāo xìng de ná zhe yì fēng xìn zǒu jìn le bān jí
师 很 高 兴 地 拿 着 一 封 信 走 进 了 班 级 ，

tóng xué men lì kè ān jìng xià lái
同 学 们 立 刻 安 静 下 来 。

wèi lǎo shī dǎ kāi xìn fēng cóng lǐ miàn ná chū le
魏 老 师 打 开 信 封 ， 从 里 面 拿 出 了

yì fēng xìn duì dà jiā shuō tóng xué men
一 封 信 ， 对 大 家 说 ：" 同 学 们 …… "

jiāng xiǎo yá gǎn kuài jǔ qǐ shǒu lái lǎo shī wǒ
姜 小 牙 赶 快 举 起 手 来 ：" 老 师 ， 我

yǒu shì
有 事 。 "

jiāng xiǎo yá nǐ yǒu shén me shì ya
" 姜 小 牙 ， 你 有 什 么 事 呀 ？ "

jiāng xiǎo yá shuō lǎo shī jīn tiān shàng wǔ wǒ
姜 小 牙 说 ：" 老 师 ， 今 天 上 午 ， 我

kàn jiàn xíng tiě tóng xué de wén jù hé diào zài le dì shang
看 见 邢 铁 同 学 的 **文 具 盒** 掉 在 了 地 上 ，

shì mǐ xiǎo quān bāng tā jiǎn qǐ lái de
是 米 小 圈 帮 他 捡 起 来 的 。 ”

ng zhè yǒu shén me wèn tí ma wèi lǎo shī
" 嗯 ， 这 有 什 么 问 题 吗 ？ ” 魏 老 师

yǒu diǎnr yí huò
有 点 儿 **疑 惑** 。

lǎo shī zhè suàn bú suàn zhù rén wéi lè ya
" 老 师 ， 这 算 不 算 助 人 为 乐 呀 ？ ”

jiāng xiǎo yá wèn dào
姜 小 牙 问 道 。

kě shì wèi lǎo shī què shuō zhè ge yīng gāi
可 是 魏 老 师 却 说 ： " 这 个 …… 应 该

suàn tóng xué jiān de hù xiāng bāng zhù ba zuó tiān zán men bān
算 同 学 间 的 **互 相 帮 助** 吧 。 昨 天 咱 们 班

真是个
助人为乐的
好孩子！

yǒu gè tóng xué zuò le yí jiàn zhēn zhèng zhù rén wéi lè de shì
有个同学做了一件真正**助人为乐**的事

……”

wǒ gǎn kuài jǔ qǐ shǒu dǎ duàn le wèi lǎo shī de huà
我赶快举起手打断了魏老师的话：

lǎo shī lǎo shī zuó tiān wǒ kàn jiàn jiāng xiǎo yá de zú qiú diū le shì tiě tóu à bù shì xíng tiě tóng xué bāng máng zhǎo dào de
“老师，老师，昨天我看见姜小牙的足球丢了，是铁头，啊，不，是邢铁同学帮忙找到的。”

wèi lǎo shī tīng wán tū rán fā nù le mǐ xiǎo quān nǐ yǒu wán méi wán wǒ dōu shuō le zhè shǔ yú tóng xué jiān de hù xiāng bāng zhù
魏老师听完，突然**发怒**了：“米小圈，你有完没完？我都说了这属于同学间的互相帮助。”

kě shì lǎo shī
“可是，老师……”

mǐ xiǎo quān nǐ bù xǔ zài shuō huà wèi lǎo shī xià le mìng lìng
“米小圈，你不许再说话。”魏老师下了命令。

shì wǒ dī xià tóu qù
“是！”我低下头去。

wèi lǎo shī ná qǐ xìn jiē zhe shuō　　zhè shì yì fēng
魏 老 师 拿 起 信 接 着 说 ："这 是 一 封

gǎn xiè xìn 　 zán men bān
感 谢 信，咱 们 班 ……"

zhè shí 　 tiě tóu tū rán zhàn qǐ lái 　　lǎo shī
这 时，铁 头 突 然 站 起 来 ："老 师，

zuó tiān jiāng xiǎo yá bāng mǐ xiǎo quān
昨 天 姜 小 牙 帮 米 小 圈 ……"

wèi lǎo shī dà nù 　 dà shēng hè dào 　　nǐ men zài
魏 老 师 大 怒，大 声 喝 道 ："你 们 再

dǎo luàn 　 jiù ràng nǐ men chū qù
捣 乱，就 让 你 们 出 去！"

wèi lǎo shī zài bān shang niàn le nà fēng gǎn xiè xìn
魏 老 师 在 班 上 念 了 那 封 感 谢 信。

yuán lái zhù rén wéi lè de rén shì wǒ men bān de liú kǎi
原 来 助 人 为 乐 的 人 是 我 们 班 的 刘 凯。

事情是这样的，昨天刘凯放学的途中，遇见了一位老奶奶，一位很老很老的老奶奶，老奶奶已经老到忘记自己家在哪里了。

刘凯帮助老奶奶回忆了好一会儿，最后带老奶奶找到警察叔叔帮忙，终于把老奶奶平安送回家了。

老奶奶的家人非常感激刘凯，就给学校写了这封感谢信。

魏老师夸奖道："刘凯，你可真是个好学生，是大家学习的榜样。"

放学时，我们好朋友三人组做了一个重大的决定——去寻找老奶奶，很

老很老的老奶奶，找不到家的老奶奶。

终于盼到了放学，我们跑到大街

上，**寻找**老奶奶的行动就这样开始啦！

姜小牙指着街道上的老奶奶说：

"哇！这大街上老奶奶可真多呀！"

我说道："姜小牙、铁头，我们分

头行动，不要放过任何一个老奶奶。"

wǒ men xiàng lǎo nǎi nai men chōng qù
我们向老奶奶们冲去。

lǎo nǎi nai nín shì bú shì zhǎo bú dào jiā le ya
“老奶奶，您是不是找不到家了呀？”

lǎo nǎi nai nín hái jì de zì jǐ de míng zi ma
“老奶奶，您还记得自己的名字吗？”

lǎo nǎi nai wǒ sòng nín huí jiā ba
“老奶奶，我送您回家吧……”

yí gè xiǎo shí guò qù le wǒ men yí gòng wèn le
一个小时过去了，我们一共问了
sì shí wǔ wèi lǎo nǎi nai qí zhōng sì shí sì wèi lǎo nǎi
四十五位老奶奶，其中四十四位老奶
nai qīng chu de jì de zì jǐ de jiā dì sì shí wǔ wèi
奶清楚地记得自己的家，第四十五位
lǎo nǎi nai bú dàn jì de zì jǐ de jiā hái qīng chu de
老奶奶不但记得自己的家，还清楚地
jì de tā de ǒu xiàng zhōu jié lún de xīng zuò shēng rì hé
记得她的偶像周杰伦的星座、生日和
xuè xíng
血型。

ài wǒ jué de lǎo nǎi nai de jì xing bǐ wǒ de
唉，我觉得老奶奶的记性比我的
hái hǎo ne
还好呢。

wǒ men fēi cháng shī wàng tè bié shī wàng
我们非常失望，特别失望。

tū rán，jiāng xiǎo yá zhǐ zhe mǎ lù zhōng yāng dà hǎn
突然，姜小牙指着马路中央大喊：

mǐ xiǎo quān，kuài kàn
"米小圈，快看！"

wǒ men xiàng mǎ lù shang kàn qù。yí wèi hěn lǎo de
我们向马路上看去。一位很老的

lǎo nǎi nai zhèng zài mǎ lù zhōng yāng zhàn zhe，zuǒ kàn kan，yòu
老奶奶正在马路中央站着，左看看，右

kàn kan，yí dìng shì mǎ lù shang de chē tài duō，tā guò
看看，一定是马路上的车太多，她过

bú qù le。
不去了。

jiāo tōng dēng zhōng yú biàn lǜ le，wǒ men xīng fèn de
交通灯终于变绿了，我们兴奋地

老奶奶，别客气啦，助人为乐是秋实小学一年级五班的米小圈应该做的。

小同学，这……

062

向老奶奶冲去："老奶奶，我们来救您。"

我们把老奶奶搀过了马路，和老奶奶说过"再见"，就高高兴兴地回家了。

太好了，这一次魏老师一定会喜欢我的。

写给我的信

5月14日 星期四

今天的天气非常好，我的心情也特别好，因为魏老师拿着一封信走进了教室。

同桌李黎偷偷对我说："难道这又是一封**感谢信**？"

我得意地说："一定是，而且这封信是感谢我的。"

"米小圈，少**臭**美啦，才不会是写

gěi nǐ de lǐ lí wán quán bù xiāng xìn wǒ de huà
给 你 的 。" 李 黎 完 全 不 相 信 我 的 话 。

kěn dìng shì xiě gěi wǒ de bú xìn wǒ men dǎ
"肯 定 是 写 给 我 的 ， 不 信 ， 我 们 打

dǔ
赌 。 "

dǎ dǔ jiù dǎ dǔ
"打 赌 就 打 赌 。 "

lǐ lí rú guǒ zhè fēng xìn shì xiě gěi wǒ de
"李 黎 ， 如 果 这 封 信 是 写 给 我 的 ，

nǐ jiù děi bǎ nǐ xīn mǎi de bǐ sòng gěi wǒ
你 就 得 把 你 新 买 的 笔 送 给 我 。 "

xíng rú guǒ nǐ shū le nǐ shàng kè jiù bù xǔ
"行 ！ 如 果 你 输 了 ， 你 上 课 就 不 许

kàn màn huà shū bù xǔ zài wǒ běn zi shang luàn tú luàn huà
看 漫 画 书 ， 不 许 在 我 本 子 上 乱 涂 乱 画 。 "

魏老师打开了信封，拿出信说道：

"我手里拿的这封信是一位老奶奶的女儿写来的。米小圈，你起来一下。"

"是！"我很得意地站了起来。

李黎大吃一惊，她终于明白了，这封信就是写给我米小圈的。

魏老师问："米小圈，周二放学，你是不是遇见了一位老奶奶？"

"是呀，我在马路中央看见了一位老奶奶，她正要过马路，是我把老奶奶搀过去的。"我很自豪地说。"

"原来真的是你，米小圈！你自己看看信上写的什么！"魏老师的样子很生气。我疑惑地从魏老师手里接过信，打开看——

尊敬的校长：

您好！我要向您反映一些关于贵校学生的情况。事情是这样的。

星期二的下午，我的母亲去菜市场买菜，返回的途中，马路上的车很多，她老人家腿脚不太好，等了半个小时，好不容易才走到马路中央。此时，贵校的几名小学生冲了过来，说是要助人为乐，又把我母亲给拽了回去，然后跑掉了。我母亲只好又等了半个小时。

zhù rén wéi lè shì hǎo shì　　wǒ men yě hěn gǎn xiè
助人为乐是好事，我们也很感谢

guì xiào xué shēng de hǎo yì　　kě shì　　zhè yàng lǔ mǎng de
贵校学生的好意。可是，这样鲁莽的

xíng wéi shì bù kě qǔ de　　lìng wài　　qí zhōng yí wèi dài
行为是不可取的。另外，其中一位带

tóu de hái zi zài zhù rén wéi lè shí shuō chū le zì jǐ de
头的孩子在助人为乐时说出了自己的

xué xiào　　bān jí hé xìng míng　　hǎo xiàng shì guì xiào yī nián
学校、班级和姓名，好像是贵校一年

jí wǔ bān de　　jiào mǐ xiǎo quān　　zhù rén wéi lè hòu zhǔ
级五班的，叫米小圈。助人为乐后主

dòng liú xià míng zi　　zhè yàng de xíng wéi yě shì bú duì de
动留下名字，这样的行为也是不对的。

希望贵校能够引起重视，正确引导孩子们。

"啊？"我看完信，差点儿哭出来，怎么会这样呢？

姜小牙和铁头暗自庆幸，上面没有提到他们的名字。

头脑风暴大赛

5月19日 星期二

吃早餐的时候，我问老爸："三个小孩儿吃三盒饼干需要三分钟，那九十个小孩儿吃九十盒饼干呢？"

老爸马上**抢答**道："九十分钟。"

哈哈……真是笨老爸，怎么会是九十分钟呢，明明还是三分钟嘛，因为还是每人吃一盒啊。

我又问："桌子上有十根蜡烛，被

风吹灭了三根，最后还剩几根蜡烛？"

老爸说："这个我知道，七根！"

"错！三根，因为没有被风吹灭的蜡烛最后都烧光了。"

我接着提问："猴子最讨厌什么？"

老爸挠着头说："应该是老虎或者狮子吧。"

"不对！是平行线，因为平行线永

yuǎn méi xiāng jiāo   xiāng jiāo
远 没 相 交 （ 香 蕉 ）。 ”

wǒ wèn zhè xiē nǎo jīn jí zhuǎn wān wèn tí   shì yīn
我 问 这 些 脑 筋 急 转 弯 问 题 ， 是 因

wèi wèi lǎo shī yào zài bān jí jǔ xíng yì cháng tóu nǎo fēng bào
为 魏 老 师 要 在 班 级 举 行 一 场 头 脑 风 暴

dà sài   shéi zài dà sài zhōng dá duì de wèn tí zuì duō
大 赛 ， 谁 在 大 赛 中 答 对 的 问 题 最 多 ，

shéi jiù shì bān li zuì cōng míng de xiǎo háir
谁 就 是 班 里 最 聪 明 的 小 孩儿。

yǒu shéi bù xiǎng dāng cōng míng xiǎo háir ne suǒ yǐ dà
有 谁 不 想 当 聪 明 小 孩儿 呢 ， 所 以 大

jiā dōu gé wài nǔ lì   pīn mìng de kàn gè zhǒng kāi dòng nǎo
家 都 格 外 努 力 ， 拼 命 地 看 各 种 开 动 脑

jīn de shū
筋 的 书 。

今天下午最后一节课不上课，魏老师宣布这节课举行头脑风暴大赛。

大赛之前，我发现了一件事：我的同桌李黎的头脑真的**很聪明**，我把我看到的最难的脑筋急转弯问题都拿出来考她，她居然都答对了。看来这次她又要出风头了，真是的。

魏老师拿来一叠纸，上面**密密麻麻**写满了题。

073

头脑风暴大赛正式开始！

题目一：小明和小红是同学，他们住在同一条街上，他们总是一起上学，可是每天一出家门就一个向左走，一个向右走，这是怎么回事？

什么都懂的车驰同学站起来答道："因为学校在小明和小红家中间。"

"对了。"魏老师说。

题目二：有两对母女在餐厅吃饭，每人各叫了一份30元的午餐，可是结账的时候却只收了她们90元，这是为什么？

这道题我会，太好了！我正准备举手，却被同桌李黎抢了先。

074

我是女儿。

我是妈妈。

我是姥姥。

"报告老师，是因为吃饭的人只有三个，分别是女儿、妈妈和姥姥。"

"聪明！你答对了。"

题目三：一位货车司机撞到骑摩托车的人，货车司机受了重伤，而骑摩托车的人却没事，这是为什么？

李黎飞快地举起手来。我也赶快举起手来。

我喊道:"老师,我会,老师,我会。"

可是,这次老师把机会给了张爽。

张爽答道:"因为货车司机并没

有开车,而是步行,骑摩托车的人撞

伤了他。"

"对,张爽同学答对一题。"

题目四:中国最长的江是什么江?

这次我飞速举起手来,哈哈,这次

魏老师终于叫我回答了。

哎呀妈呀!

我 站 起 来 答 道："长 江！"

"那 最 高 的 山 呢？"魏 老 师 接 着 问。

我 **不假思索** 地 回 答："高 山！"

全 班 同 学 都 笑 得 差 点儿 背 过 气 去……

米小圈钓鱼记

5月23日 星期六

老爸真是个好人，前几天的头脑风暴大赛我得了最后一名，他居然没报复我，仍然同意今天带我去钓鱼，真是个好老爸。

我的话把老爸逗乐了："米小圈，你见过爸爸报复儿子的吗？"

"有啊，我们班姜小牙他爸就报复过他。"

"居然有这种事情？"

"前几天，姜小牙把尿撒在了他爸的笔记本电脑上，他爸把他给打了。"

"那是该打。但是，姜小牙为什么要往电脑上撒尿呢？"老爸问。

"唉……还不是因为电脑上写着有防水功能嘛。"

"哈哈哈哈哈……"我和老爸都乐

儿童请勿模仿

了。

老爸向邻居大叔借了一辆电动车，带着我向鱼塘飞奔而去。

"可是，为什么不叫老妈一起去呢？"我坐在后面问道。

老爸给出的说法是，男人是负责钓鱼的，女人是负责做鱼的。

我又问："那我米小圈是负责干吗的呢？"

"你呀！是负责……"

"老爸，我明白了，我是负责吃鱼的。"

"你小子还挺聪明的。"

yí gè xiǎo shí hòu ，wǒ men zhōng yú dào dá le jiāo
一 个 小 时 后 ， 我 们 终 于 到 达 了 郊

qū de yí gè yú táng 。diào yú de rén hěn duō ，yú táng
区 的 一 个 鱼 塘 。 钓 鱼 的 人 很 多 ， 鱼 塘

biān hái lì zhe yí gè pái zi 。
边 还 立 着 一 个 牌 子 。

wǒ wèn tā ："lǎo bà ，zhè yú táng li de shuǐ yǒu
我 问 他 ："老 爸 ， 这 鱼 塘 里 的 水 有

duō shēn ？"
多 深 ？ "

zuì shēn de dì fang dà gài yǒu qī bā mǐ ba
"最 深 的 地 方 大 概 有 七 八 米 吧 。"

nà wǒ yào shi diào xià qù ，qǐ bú shì huì bèi yān
"那 我 要 是 掉 下 去 ， 岂 不 是 会 被 淹

sǐ ？"
死 ？ "

爸爸来救你!

救命啊!

mǐ xiǎo quān
"米 小 圈,

bú yào shuō zhè me bù
不 要 说 这 么 不

jí lì de huà
吉 利 的 话 。 "

ò
"哦 。 "

zài shuō nǐ jiù shì diào xià qù le bà ba yě
"再 说 , 你 就 是 掉 下 去 了 , 爸 爸 也

yí dìng huì tiào xià qù jiù nǐ de
一 定 会 跳 下 去 救 你 的 。 "

zhēn de
"真 的 ? "

zhēn de
"真 的 。 "

kě shì lǎo mā shuō nǐ bú huì yóu yǒng a
"可 是 老 妈 说 你 不 会 游 泳 啊 ? "

nà wǒ yě tiào
"那 我 也 跳 。 "

救命啊!

gòu yì qi
"够 义 气 。 "

救命啊!

lǎo bà ná chū
老 爸 拿 出

......

liǎng bǎ xiǎo yǐ zi
两 把 小 椅 子 ,

又 拿 出 钓 鱼 的 工 具 ， 然 后 往 鱼 钩 上 弄 了 一 块 泥 巴 。

我 又 好 奇 地 问 ："老 爸 ，你 为 什 么 要 把 一 块 泥 巴 弄 到 鱼 钩 上 ？"

"米 小 圈 ，这 可 不 是 泥 巴 ，这 是 鱼 饵 ，就 是 给 鱼 吃 的 好 吃 的 。"

我 明 白 了 ，这 就 像 我 不 去 上 美 术 班 ，老 爸 就 会 拿 出 糖 果 来 诱 惑 我 。鱼 可 真 惨 ，为 了 吃 好 吃 的 ，把 命 都 送 了 。

老 爸 用 力 把 钓 竿 甩 了 出 去 ，然 后

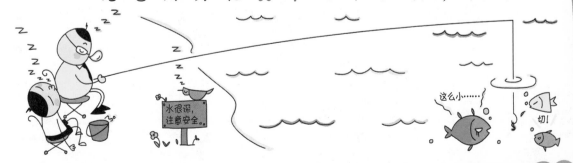

wǒ men jiù nài xīn děng dài dà yú shàng gōu
我们就耐心等待大鱼上钩。

děng a děng ...... děng a děng ...... liǎng gè xiǎo shí guò
等啊等……等啊等……两个小时过

qù le wǒ men hái shi méi diào dào yì tiáo yú
去了，我们还是没钓到一条鱼。

lǎo bà bǎ yú gōu shōu le huí lái fàng le gèng duō
老爸把鱼钩收了回来，放了更多

de yú ěr shàng qù wǒ míng bai le rú guǒ lǎo bà gěi
的鱼饵上去。我明白了，如果老爸给

wǒ táng guǒ wǒ hái shi bù xiǎng qù shàng měi shù bān lǎo bà
我糖果，我还是不想去上美术班，老爸

jiù huì gěi wǒ gèng duō de táng guǒ le
就会给我更多的糖果了。

lǎo bà bǎ yú gōu zài cì shuǎi le chū qù méi duō
老爸把鱼钩再次甩了出去，没多

jiǔ yú piāo jìng rán dòng le wā yǒu yú shàng gōu le
久鱼漂竟然动了。哇！有鱼上钩了！

wǒ gāo xìng de tiào le qǐ lái lǎo bà gǎn kuài wǎng huí zhuài
我高兴得跳了起来。老爸赶快往回拽

yú xiàn
鱼线。

yuán lái shì yì zhī xié wǒ hé lǎo bà shī wàng jí
原来是一只鞋，我和老爸失望极

le lǎo bà gào su wǒ jīn tiān zhī suǒ yǐ méi diào dào
了。老爸告诉我，今天之所以没钓到

鱼，是因为鱼已经吃饱了。

不会吧，鱼吃饱了？老爸，你不会是骗小孩儿的吧！

这时，老爸做出了一个**重大决定**——买鱼。

老爸花五十元钱买了三条大鱼，我们高高兴兴地回家了。

路上，老爸对我说，千万不可以把

mǎi yú de shì qing gào su lǎo mā　　wǒ wèn wèi shén me
买 鱼 的 事 情 告 诉 老 妈 。 我 问 为 什 么 ，

lǎo bà de dá àn shì　zhè shì nán rén zhī jiān de mì mì
老 爸 的 答 案 是 ： 这 是 男 人 之 间 的 秘 密 。

huí jiā hòu　lǎo bà ná chū yú duì lǎo mā chuī niú
回 家 后 ， 老 爸 拿 出 鱼 对 老 妈 吹 牛 ，

shuō zì jǐ diào yú duō me duō me lì hai　jīn tiān de yú
说 自 己 钓 鱼 多 么 多 么 厉 害 ， 今 天 的 鱼

duō me xǐ huan ràng tā diào
多 么 喜 欢 让 他 钓 。

lǎo bà a　shuō huǎng běn lái jiù yǐ jīng cuò le　chuī
老 爸 啊 ， 说 谎 本 来 就 已 经 错 了 ， 吹

niú jiù gèng bú duì le ba
牛 就 更 不 对 了 吧 !

我要学游泳

5月26日 星期二

míng tiān xué xiào yào zǔ zhī dà jiā qù yóu yǒng
明 天 ， 学 校 要 组 织 大 家 去 游 泳 ，
kě shì wǒ hái bú huì yóu ne lián jiāng xiǎo yá dōu huì tā
可 是 我 还 不 会 游 呢 ！ 连 姜 小 牙 都 会 ， 他
kěn dìng huì cháo xiào wǒ de
肯 定 会 嘲 笑 我 的 。

哈哈，米小圈，你可真笨。

老爸走过来说："这有什么难的？
我来教你。"

"真的？那太好了，这样姜小牙就
不会嘲笑我了。不对呀，你不是不会
游泳吗？"我问老爸。

老爸想了想："这个嘛……你别管，
总之我要把你米小圈训练成游泳冠军。"

"哦，好吧。"我用十分怀疑的目
光看着老爸。

训练第一项：憋气。

老爸拿来一小盆水，让我深吸一
口气，把脸埋进水中。

我怀疑老爸在开玩笑，这样我不

huì bèi qiāng sǐ ba

会 被 呛 死 吧 ？

lǎo bà shuō　　fàng xīn　kěn dìng bú huì

老 爸 说 ："放 心 ，肯 定 不 会 。"

yú shì　　wǒ yāo qiú lǎo bà gěi wǒ zuò shì fàn　kě

于 是 ，我 要 求 老 爸 给 我 做 示 范 ，可

lǎo bà jiù shì bù kěn　　tā shuō　　shì nǐ mǐ xiǎo quān

老 爸 就 是 不 肯 。他 说 ："是 你 米 小 圈

yào qù shàng yóu yǒng kè　　yòu bú shì wǒ

要 去 上 游 泳 课 ，又 不 是 我 。"

hǎo ba　　qiāng sǐ yě bǐ bèi jiāng xiǎo yá xiào sǐ qiáng

好 吧 ，呛 死 也 比 被 姜 小 牙 笑 死 强 ，

wǒ jǐn bì shuāng yǎn　　bǎ liǎn mái jìn shuǐ pén li

我 紧 闭 双 眼 ，把 脸 埋 进 水 盆 里 。

wǒ guǒ zhēn méi yǒu bèi qiāng sǐ　　bìng qiě jiān chí le

我 果 真 没 有 被 呛 死 ，并 且 坚 持 了

wǔ miǎo zhōng　dì èr cì bǎ liǎn mái jìn shuǐ li　wǒ jiān
五 秒 钟 。 第 二 次 把 脸 埋 进 水 里 ， 我 坚

chí le shí miǎo zhōng　jǐ cì xià lái　wǒ de zuì cháng jì
持 了 十 秒 钟 。 几 次 下 来 ， 我 的 最 长 纪

lù shì èr shí miǎo　tài hǎo le
录 是 二 十 秒 ， 太 好 了 。

xùn liàn dì èr xiàng　tǔ pào pao
训 练 第 二 项 ： 吐 泡 泡 。

zhè huí lǎo bà ràng wǒ yòng lì xī yì kǒu qì　jiāng
这 回 老 爸 让 我 用 力 吸 一 口 气 ， 将

liǎn mái jìn shuǐ pén li　bǎ qì tǔ chū lái　wǒ zhào zuò
脸 埋 进 水 盆 里 ， 把 气 吐 出 来 。 我 照 做 ，

wǒ zuǐ li guǒ rán tǔ chū le hǎo duō xiǎo qì pào　wǒ tīng
我 嘴 里 果 然 吐 出 了 好 多 小 气 泡 。 我 听

jiàn qì pào fā chū gū dū gū dū de shēng yīn　zhēn hǎo wán
见 气 泡 发 出 咕 嘟 咕 嘟 的 声 音 ， 真 好 玩 。

wǒ zuǐ li de qì pào tǔ guāng le　wǒ hái xiǎng jiē
我 嘴 里 的 气 泡 吐 光 了 ， 我 还 想 接

zhe tǔ　què yí bù xiǎo xīn bǎ shuǐ xī jìn le bí zi li
着 吐 ， 却 一 不 小 心 把 水 吸 进 了 鼻 子 里 ，

qiàng de wǒ yǎn lèi dōu kuài chū lái le
呛 得 我 眼 泪 都 快 出 来 了 。

lǎo bà shuō　zuò rén bù kě yǐ tài tān xīn
老 爸 说 ， 做 人 不 可 以 太 贪 心 。

xùn liàn dì sān xiàng　wā yǒng
训 练 第 三 项 ： 蛙 泳 。

老爸在床上摆了一个游泳的姿势，让我也跟着学。

我笑着说："老爸，你的姿势好难看啊，像只大青蛙。"

"这就对了，我要教你的就是蛙泳。"老爸很得意的样子。

"不就是学青蛙游泳嘛，我还会学青蛙叫呢，呱……呱……呱……"

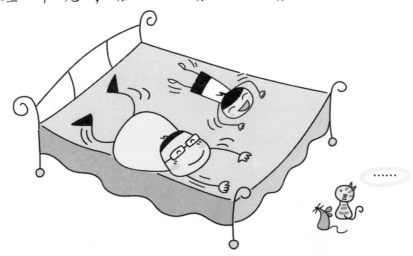

lǎo bà shuō wǒ xué de qīng wā jiào bú xiàng tā jiào
老 爸 说 我 学 的 青 蛙 叫 不 像 , 他 叫

dào guā guā guā guā guā guā
道 ： " 呱 呱 …… 呱 呱 …… 呱 呱 …… "

wǒ xué le jǐ cì zhōng yú xué huì le qīng wā jiào
我 学 了 几 次 , 终 于 学 会 了 青 蛙 叫 ,

kě hái shi méi xué huì wā yǒng
可 还 是 没 学 会 蛙 泳 。

游泳健将来啦

5月27日 星期三

终于到了游泳的日子，姜小牙咧着嘴说："米小圈，你学会游泳了吗？如果没学会，我可以教你呀，我可是游泳健将。"

"哼，才不用你教呢，我已经学会啦，而且还是蛙泳呢。"

"那好，一会儿我们就比一比。"

"比就比，谁怕谁！"

讨厌的姜小牙，就喜欢拿自己的
长处去比别人的短处。

游泳课开始了。游泳课老师说：
"哪些同学不会游泳，举一下手。"

我正要举手，却发现姜小牙在看
着我，我赶快把手缩了回来。讨厌的
姜小牙！

游泳课老师又说："会游泳的同学
可以去浅水区里游泳了，不会的同学

留下来，老师教你们。"

全班有十位同学留下来学游泳，

我被姜小牙拽去跟他比赛了。

姜小牙让我学他的姿势，可是他

的姿势真的好难看啊！姜小牙告诉我，

正规比赛就是这样入水的。

姜小牙喊道："预备……起！"

喊完，他一下子跳进水里，拼命

什么呀，我正准备入水呢。

姜小牙，你在放屁吗？

地 向 前 游 。 我 站 在 游 泳 池 边 动 也 没

动 ， 好 紧 张 啊 ， 这 可 是 我 第 一 次 下 水

游 泳 啊 ！

　　这 时 ， 讨 厌 的 李 黎 在 后 面 推 了 我

一 把 ， 我 一 下 子 掉 进 了 水 里 。

　　李 黎 真 是 太 坏 了 。 我 一 进 入 水 中

就 把 昨 天 老 爸 教 我 的 东 西 全 忘 光 了 。

我 喝 了 一 大 口 游 泳 池 里 的 水 ， 正 不 知

道 该 怎 么 办 的 时 候 ， 姜 小 牙 游 了 过 来 ，

一 下 抓 住 了 我 ， 把 我 弄 到 游 泳 池 边 上 。

　　呜 呜 呜 …… 恩 人 啊 。

　　"米 小 圈 ， 我 就 猜 你 不 会 游 泳 ， 你

就 会 吹 牛 。 "

我只好向姜小牙坦白："好吧，姜小牙，我承认，我不会游泳。"

"放心吧，我们是好兄弟，我来教你。"

接下来，我的好兄弟姜小牙开始教我游泳，他告诉我他的方法叫"姜小牙地狱式训练法"。最重要的一点：必须得胆大，得敢把头往水里钻。

姜小牙，我们是在比谁的屁股大吗？

哇！一堂游泳课之后，我真的学会游泳了，姜小牙真是个好老师。不过，这个方法最大的缺点就是一不小心容易把水吸到肚子里去。这堂游泳课我一共喝了七口游泳池里的水。不过，为了学会游泳，这也很值得。

这时，姜小牙告诉我一个秘密，今天他在游泳池里撒了泡尿，他说这件事是绝密，没有任何人知道，他只告诉我一个人。

姜小牙，我跟你没完，呜呜呜呜……

画家也烦恼

5月30日 星期六

shí zhōng zhǐ xiàng le diǎn kě shì wǒ hái lài zài chuáng
时钟指向了11点，可是我还赖在床

shang bú yuàn yì qǐ lái zhǐ yào wǒ yì qǐ chuáng lǎo bà
上不愿意起来。只要我一起床，老爸

kěn dìng huì chōng jìn lái yāo qiú wǒ huà yì zhāng chāo jí hǎo
肯定会冲进来，要求我画一张超级好

kàn de huà bú xìn nǐ kàn
看的画。不信你看——

wǒ qǐ chuáng la wǒ dà hǎn dào
"我起床啦……"我大喊道。

wǒ de huà yīn gāng luò lǎo bà guǒ rán ná zhe shuǐ
我的话音刚落，老爸果然拿着水

cǎi bǐ hé tú huà běn chōng jìn wǒ de fáng jiān mǐ xiǎo
彩笔和图画本冲进我的房间："米小

quān kuài lái huà yì zhāng chāo jí hǎo kàn de huà ba
圈，快来画一张超级好看的画吧……"

ǎ　　bú huà bú huà　　　　wǒ gǎn jǐn tǎng xià
"啊？不画不画。"我赶紧躺下，

bǎ bèi zi gài zài zì jǐ de liǎn shang
把被子盖在自己的脸上。

　　mǐ xiǎo quān　　nǐ bú huà　jiāng lái zěn me chéng wéi
"米小圈，你不画，将来怎么成为

tè bié tè bié zhù míng de huà jiā ya
特别特别著名的画家呀？"

　　nà yě bú huà　　jiù shì bú huà　　wǒ yào shuì jiào
"那也不画，就是不画，我要睡觉

le　　zài jiàn
了，再见。"

　　wǒ zhǎo nǐ mā ma qù　　kàn nǐ huà bú huà
"我找你妈妈去，看你画不画。"

lǎo bà xùn sù pǎo diào　　bǎ lǎo mā jiào lái le
老爸迅速跑掉，把老妈叫来了。

不画行
不行呀……

给我画画去！

100

在老妈的**强硬**态度下，我只好拿起画笔画了一张不怎么好看的画。

老妈看完画很**满意**，把它贴在了墙上。

午餐完毕，老爸带着我前往"地狱"——在我看来美术班就是我的地狱。

"老爸，我们讲和吧，好不好？"

"讲和？"

"是呀，只要你**放弃**让我当画家的念头，你让我做什么都行。"

"米小圈，只要你以后能成为画家，让我做什么也都行。"

"老爸，我求你了，我长大当个诗

rén hái bù xíng ma　　　 wǒ kě lián xī xī de kàn zhe lǎo bà
人 还 不 行 吗 ？ ” 我 可怜兮兮 地 看 着 老 爸 。

　　 lǎo bà dūn le xià lái　　 yì běn zhèng jīng de wèn
　　老 爸 蹲 了 下 来 ， 一 本 正 经 地 问 ：

　　 mǐ xiǎo quān　　 nǐ zhēn xiǎng dāng shī rén
　　“ 米 小 圈 ， 你 真 想 当 诗 人 ？ ”

　　 shì ya　　 nǐ tóng yì ma
　　“ 是 呀 ， 你 同意 吗 ？ ”

　　 lǎo bà lè hē hē de shuō　　　 dāng rán tóng yì la
　　老 爸 乐 呵 呵 地 说 ：“ 当 然 同 意 啦 ，

míng tiān wǒ jiù gěi nǐ mǎi shī jí qù
明 天 我 就 给 你 买 诗 集 去 。 ”

哈哈哈，想不到老爸会同意我的请求，以后再也不用画画啦，万岁！

可是，老爸却兴奋地说："哈哈，这样你以后就可以又当画家，又当诗人啦，这叫诗画双绝。"

听完老爸的话，我差点儿晕倒："啊？老爸，你误会啦……"

一会儿工夫，老爸就带着我来到了美术班。美术班的老师拿出一幅油画，上面画着一片树林，树林旁边是小桥和流水。

"同学们，今天我们来画自然风光，大家可以临摹这幅画，也可以想

xiàng zhe huà　　kāi shǐ ba
象 着 画 ， 开 始 吧 。 ”

dà jiā ná chū huà bǐ xùn sù huà le qǐ lái　　zhè
大 家 拿 出 画 笔 迅 速 画 了 起 来 。 这

shí　　wǒ xiǎng dào yí gè hǎo bàn fǎ　　wèi le ràng lǎo bà chè
时 ， 我 想 到 一 个 好 办 法 ， 为 了 让 老 爸 彻

dǐ sǐ xīn　　wǒ jué dìng huà yì fú chāo jí chǒu de huà
底 死 心 ， 我 决 定 画 一 幅 超 级 丑 的 画 。

kě shì　　shén me yàng de huà cái shì chāo jí chǒu de ne
可 是 ， 什 么 样 的 画 才 是 超 级 丑 的 呢 ？

yǒu le　　wǒ ràng shù dōu tǎng xià lái　　rán hòu shù gàn
有 了 ！ 我 让 树 都 躺 下 来 ， 然 后 树 干

tú chéng hēi sè de　　hé shuǐ shì hóng sè de　　tiān kōng shì huī
涂 成 黑 色 的 ， 河 水 是 红 色 的 ， 天 空 是 灰

sè de　　hǎo　　jiù zhè yàng huà
色 的 。 好 ， 就 这 样 画 。

不一会儿，我就画好了，我第一个把手举了起来："老师，我画好了。"

老爸在教室后面有些担心："米小圈，你要不要再画一会儿，这么快能行吗？"

"反正我是绘画天才，怕什么。"我装作很自信地说。

美术班的老师举起我的画仔细地看着，从他抖动的双手我看出他就要发脾气了。

"家长们，你们都看一下这幅画。"老师把画翻过来，展示给家长看。

哈哈，此刻的老爸一定特没面子。

<ruby>美<rt>měi</rt></ruby><ruby>术<rt>shù</rt></ruby><ruby>班<rt>bān</rt></ruby><ruby>的<rt>de</rt></ruby><ruby>老<rt>lǎo</rt></ruby><ruby>师<rt>shī</rt></ruby><ruby>接<rt>jiē</rt></ruby><ruby>着<rt>zhe</rt></ruby><ruby>说<rt>shuō</rt></ruby>："<ruby>请<rt>qǐng</rt></ruby><ruby>问<rt>wèn</rt></ruby><ruby>这<rt>zhè</rt></ruby><ruby>是<rt>shì</rt></ruby>

<ruby>谁<rt>shéi</rt></ruby><ruby>家<rt>jiā</rt></ruby><ruby>的<rt>de</rt></ruby><ruby>孩<rt>hái</rt></ruby><ruby>子<rt>zi</rt></ruby>？"

<ruby>老<rt>lǎo</rt></ruby><ruby>爸<rt>bà</rt></ruby><ruby>用<rt>yòng</rt></ruby><ruby>最<rt>zuì</rt></ruby><ruby>小<rt>xiǎo</rt></ruby><ruby>的<rt>de</rt></ruby><ruby>声<rt>shēng</rt></ruby><ruby>音<rt>yīn</rt></ruby><ruby>说<rt>shuō</rt></ruby>："<ruby>是<rt>shì</rt></ruby><ruby>我<rt>wǒ</rt></ruby><ruby>儿<rt>ér</rt></ruby><ruby>子<rt>zi</rt></ruby>。"

"<ruby>请<rt>qǐng</rt></ruby><ruby>这<rt>zhè</rt></ruby><ruby>位<rt>wèi</rt></ruby><ruby>家<rt>jiā</rt></ruby><ruby>长<rt>zhǎng</rt></ruby><ruby>过<rt>guò</rt></ruby><ruby>来<rt>lái</rt></ruby><ruby>一<rt>yí</rt></ruby><ruby>下<rt>xià</rt></ruby>，<ruby>我<rt>wǒ</rt></ruby><ruby>要<rt>yào</rt></ruby><ruby>跟<rt>gēn</rt></ruby><ruby>你<rt>nǐ</rt></ruby>

<ruby>交<rt>jiāo</rt></ruby><ruby>流<rt>liú</rt></ruby><ruby>一<rt>yí</rt></ruby><ruby>下<rt>xià</rt></ruby>。"

<ruby>老<rt>lǎo</rt></ruby><ruby>爸<rt>bà</rt></ruby><ruby>低<rt>dī</rt></ruby><ruby>着<rt>zhe</rt></ruby><ruby>头<rt>tóu</rt></ruby><ruby>走<rt>zǒu</rt></ruby><ruby>到<rt>dào</rt></ruby><ruby>老<rt>lǎo</rt></ruby><ruby>师<rt>shī</rt></ruby><ruby>面<rt>miàn</rt></ruby><ruby>前<rt>qián</rt></ruby>："<ruby>老<rt>lǎo</rt></ruby>

<ruby>师<rt>shī</rt></ruby>，<ruby>我<rt>wǒ</rt></ruby><ruby>知<rt>zhī</rt></ruby><ruby>道<rt>dào</rt></ruby><ruby>你<rt>nǐ</rt></ruby><ruby>要<rt>yào</rt></ruby><ruby>说<rt>shuō</rt></ruby><ruby>什<rt>shén</rt></ruby><ruby>么<rt>me</rt></ruby><ruby>了<rt>le</rt></ruby>，<ruby>我<rt>wǒ</rt></ruby><ruby>以<rt>yǐ</rt></ruby><ruby>后<rt>hòu</rt></ruby><ruby>不<rt>bú</rt></ruby><ruby>会<rt>huì</rt></ruby>

<ruby>让<rt>ràng</rt></ruby><ruby>米<rt>mǐ</rt></ruby><ruby>小<rt>xiǎo</rt></ruby><ruby>圈<rt>quān</rt></ruby><ruby>画<rt>huà</rt></ruby><ruby>画<rt>huà</rt></ruby><ruby>了<rt>le</rt></ruby>。"

美术老师说："这位家长，你怎么可以这样说呢？米小圈是我教画三十年来见过的最有绘画天赋的孩子。"

"啊！老师你说什么？"我和老爸异口同声地问。

美术老师又说："米小圈其实画的是一张抽象画。大家看，这躺着的树表现了现代社会对森林的过度砍伐，这灰色的天表现了现代社会二氧化碳的过度排放，这水表现了污染严重，这后面的山表现了资源的过度挥霍。哈哈哈哈……米小圈小小年纪就能画出如此深刻的画，将来一定会成为特别

特别著名的画家。"

呜呜呜呜……老师，你有没有搞错

啊？！天哪……

画家的奖励

5月31日 星期日

tīng lǎo mā shuō，lǎo bà zuó wǎn zuò mèng de shí hou
听老妈说，老爸昨晚做梦的时候

dōu yì zhí zài xiào a xiào de
都一直在笑啊笑的。

ài hái bú shì yīn wèi měi shù lǎo shī shuō wǒ shì
唉，还不是因为美术老师说我是

huì huà tiān cái lǎo bà nǐ zhì yú ma
绘画天才。老爸，你至于吗？

jīn tiān lǎo bà wèi le jiǎng lì wǒ jué dìng dài wǒ
今天，老爸为了奖励我，决定带我

qù shū diàn mǎi shū
去书店买书。

mǎi shén me shū dōu xíng ma wǒ wèn dào
"买什么书都行吗？"我问道。

xíng a zuò wéi jiǎng lì nǐ xiǎng mǎi shén me shū
"行啊，作为奖励，你想买什么书

109

<ruby>就<rt>jiù</rt></ruby> <ruby>买<rt>mǎi</rt></ruby> <ruby>什<rt>shén</rt></ruby> <ruby>么<rt>me</rt></ruby> <ruby>书<rt>shū</rt></ruby> 。"

"<ruby>买<rt>mǎi</rt></ruby> <ruby>多<rt>duō</rt></ruby> <ruby>少<rt>shao</rt></ruby> <ruby>钱<rt>qián</rt></ruby> <ruby>的<rt>de</rt></ruby> <ruby>书<rt>shū</rt></ruby> <ruby>都<rt>dōu</rt></ruby> <ruby>行<rt>xíng</rt></ruby> <ruby>吗<rt>ma</rt></ruby> ？" <ruby>我<rt>wǒ</rt></ruby> <ruby>又<rt>yòu</rt></ruby> <ruby>问<rt>wèn</rt></ruby> <ruby>道<rt>dào</rt></ruby> 。

"<ruby>当<rt>dāng</rt></ruby> <ruby>然<rt>rán</rt></ruby> <ruby>啊<rt>a</rt></ruby> ，<ruby>作<rt>zuò</rt></ruby> <ruby>为<rt>wéi</rt></ruby> <ruby>奖<rt>jiǎng</rt></ruby> <ruby>励<rt>lì</rt></ruby> ，<ruby>你<rt>nǐ</rt></ruby> <ruby>想<rt>xiǎng</rt></ruby> <ruby>买<rt>mǎi</rt></ruby> <ruby>多<rt>duō</rt></ruby> <ruby>少<rt>shao</rt></ruby> <ruby>书<rt>shū</rt></ruby> <ruby>就<rt>jiù</rt></ruby> <ruby>买<rt>mǎi</rt></ruby> <ruby>多<rt>duō</rt></ruby> <ruby>少<rt>shao</rt></ruby> <ruby>书<rt>shū</rt></ruby> 。"

<ruby>哇<rt>wā</rt></ruby> ！<ruby>老<rt>lǎo</rt></ruby> <ruby>爸<rt>bà</rt></ruby> <ruby>可<rt>kě</rt></ruby> <ruby>是<rt>shì</rt></ruby> <ruby>第<rt>dì</rt></ruby> <ruby>一<rt>yī</rt></ruby> <ruby>次<rt>cì</rt></ruby> <ruby>这<rt>zhè</rt></ruby> <ruby>么<rt>me</rt></ruby> <ruby>大<rt>dà</rt></ruby> <ruby>方<rt>fang</rt></ruby> <ruby>呀<rt>ya</rt></ruby> ，<ruby>我<rt>wǒ</rt></ruby> <ruby>得<rt>děi</rt></ruby> <ruby>多<rt>duō</rt></ruby> <ruby>买<rt>mǎi</rt></ruby> <ruby>一<rt>yì</rt></ruby> <ruby>些<rt>xiē</rt></ruby> 。

我和老爸来到书店，我先挑了几本我喜欢的故事书。

老爸却阻止道："米小圈，这故事书上连一幅画都没有，还是别买了。"

"爸爸啊，你不是说想买什么书就买什么书吗？"

"是呀！可是……"

"大人说话要算数。"

"哦！好吧。"

我们来到漫画专区，我挑了十几本我最爱的漫画书。

老爸又阻止道："米小圈，你看这漫画书的定价，好贵呀。"

"老爸，你不是说想买多少就可以买多少吗？"

"是呀！可是，我这兜里的钱……"

"大人要讲信用。"

"哦！好吧。"

我们又来到DVD光碟专区。我指着一套动画片全集，说："老爸，我要买这个……"

老爸一看定价，差点儿晕过去："啊！四百多？米小圈，家里着火了，我得赶快回去救火，失陪了……"说完老爸飞快地跑了。

我和老爸抱着书很生气地走出书

diàn
店 。

wǒ shēng qì de shuō　　　　lǎo bà　　wǒ zài yě bù xiāng
我 生 气 地 说 ：" 老 爸 ， 我 再 也 不 相

xìn nǐ la　　hng
信 你 啦 ， 哼 …… "

lǎo bà shēng qì de shuō　　　　mǐ xiǎo quān　　wǒ zài yě
老 爸 生 气 地 说 ：" 米 小 圈 ， 我 再 也

bù jiǎng lì nǐ la　　hng
不 奖 励 你 啦 ， 哼 …… "

wǒ men fèn fèn de xiàng jiā zǒu qù
我 们 愤 愤 地 向 家 走 去 。

我爱你们

6月5日 星期五

明天是一个非同寻常的日子，因为七年前的明天，一个非同寻常的米小圈就这样出生了。

好特别的婴儿呀。

老妈说我的特别之处在于特别不让人省心，从出生前一直到现在。

我很不服气，老妈啊，除了学习之外，我应该还算个乖孩子吧？再说，铁头比我学习差多了，铁头妈还觉得铁头是世界上最聪明的孩子呢。

老妈为了证明自己的观点无比正确，她把我小时候的事情全都翻了出来。可是这些事真的是我干的吗？我很怀疑。

老妈说，当我还在她肚子里时，其实是个非常安静的宝宝，可是好像过于安静了，前五个月，我几乎不发出任

儿子，起床啦，醒一醒啊！

hé shēng xiǎng
何 声 响 。

wèi cǐ   lǎo bà jí kū le hǎo jǐ cì
为 此 ， 老 爸 急 哭 了 好 几 次 。

dì liù gè yuè de mǒu yì tiān   wǒ tū rán   xǐng
第 六 个 月 的 某 一 天 ， 我 突 然 " 醒 "

le guò lái   huò xǔ shì shuì le tài jiǔ   wǒ jué dìng
了 过 来 。 或 许 是 睡 了 太 久 ， 我 决 定

huó dòng huó dòng shǒu jiǎo   kě shì   gāi zuò xiē shén me yùn
活 动 活 动 手 脚 。 可 是 ， 该 做 些 什 么 运

dòng ne
动 呢 ？

lǎo mā gào su wǒ   nà shí de wǒ jǐ hū měi tiān
老 妈 告 诉 我 ， 那 时 的 我 几 乎 每 天

dōu zài tā dù zi li   tī qiú   fān gēn tou   quán
都 在 她 肚 子 里 " 踢 球 " " 翻 跟 头 " " 拳

116

儿子，时候不早了，该睡觉了！

击""散打"……

又过了几个月，我终于来到了这个世界。我想，全家人当时一定在欢呼雀跃。我想，那时的老爸一定高兴得跳了起来。

老妈又讲，其实当时全家人都没有欢呼，更没有雀跃。

啊？没有欢呼和雀跃？难道我是捡

来 的 孩 子 ？呜 呜 呜 ……

老 妈 说 ，那 是 因 为 又 一 件 不 省 心

的 事 出 现 了 —— 我 不 会 哭 。

一 岁 那 年 ，我 开 始 学 着 **说 话** 了 。

我 学 会 的 第 一 个 词 语 与 老 爸 有 很 大 关

系 。

老 妈 说 到 这 里 时 ，老 爸 冲 了 过 来 ，

屁屁。

······你是在叫我吗?

wǔ zhù lǎo mā de zuǐ bù yǔn xǔ tā shuō xià qù
捂 住 老 妈 的 嘴 , 不 允 许 她 说 下 去 。

　　wǒ zhuī wèn lǎo bà　　wǒ dì yī jù shuō de shì shén
　　我 追 问 老 爸:"我 第 一 句 说 的 是 什

me ya　　　　lǎo bà méi yǒu huí dá　　xùn sù pǎo kāi le
么 呀 ?" 老 爸 没 有 回 答 , 迅 速 跑 开 了 。

　　liǎng suì nà nián　　wǒ kāi shǐ xué zhe shǐ yòng jiǎn dān
　　两 岁 那 年 , 我 开 始 学 着 使 用 简 单

de cí yǔ　　　　lì rú　　chī fàn fan　　shuì jiào jiao děng
的 词 语 。 例 如 : 吃 饭 饭 、 睡 觉 觉 等 。

　　sān suì shí　　wǒ zhōng yú fēn qīng le　　bà ba　　hé
　　三 岁 时 , 我 终 于 分 清 了 "爸 爸" 和

bǎ ba　　de qū bié　　kě shì　　yòu yí jiàn shì fā shēng
"屁 屁" 的 区 别 。 可 是 , 又 一 件 事 发 生

le wǒ gāo shāo bú tuì bǎ ba dài zhe wǒ ò bù
了，我高烧不退，尼尼带着我，哦，不，

bà ba dài zhe wǒ lái dào le yī yuàn
爸爸带着我来到了医院。

hù shi jiě jie zhǔn bèi gěi wǒ dǎ zhēn wǒ pīn mìng
护士姐姐准备给我打针，我拼命

zhēng zhá jiù shì bú ràng hù shì jiě jie dǎ zhēn
挣扎，就是不让护士姐姐打针。

sān suì wǒ bù xiǎo xīn mō dào diàn mén sì suì bǎ
三岁我不小心摸到电门，四岁把

yī fu kòu zi tūn jìn le dù zi li wǔ suì zài dòng wù
衣服扣子吞进了肚子里，五岁在动物

yuán zǒu diū le lǎo mā yòu shuō le yí dà duī wǒ bú
园走丢了……老妈又说了一大堆我不

jì de de shì
记得的事。

可 这 真 的 是 我 米 小 圈 吗？给 家 里
添 了 这 么 多 麻 烦 的 米 小 圈？

唉，看 来 当 米 小 圈 的 老 爸 老 妈 真
是 不 容 易 呀！老 爸 老 妈，我 更 爱 你 们 了。

我的生日会

6月6日 星期六

我的生日终于来到了，好高兴呀。

铁头也特别高兴，一大早就跑到我家，

要吃**生日蛋糕**。

我问铁头："铁头，你准备送什么

生日礼物给我呀？"

铁头摸摸自己的**大脑袋**："啊？还

要送生日礼物啊？我都不懂。"

"当然啦，身为好朋友的你一定会

送我一份大礼，对吗？"

铁头没回答，飞快地跑了。

铁头太抠门了，真是的。

老妈从超市回来了，拎了一大袋
子好吃的和一个漂亮的生日蛋糕。

哇！我一个月都吃不到这么多好
吃的。过生日可真好，要是天天都能
过生日就好了。

老妈说，如果我天天都过生日，那家里可就要破产了。

我的生日会定在今天中午举行，我邀请了姜小牙、铁头、郝静、车驰，还有我的死对头同桌李黎。

我本来是不想邀请李黎的，可是老妈坚持要我请，我也没办法。

中午很快就到了，车驰是第一个来的。车驰送给我一本精装的《十万个为什么》，我很喜欢这本书。

接着是姜小牙。姜小牙非常够意思，他把自己最喜欢的一套漫画书送给了我。

bù yí huìr hǎo jìng hé wǒ tóng zhuō lǐ lí yě lái
不一会儿，郝静和我同桌李黎也来
le tā men sòng gěi wǒ yí tào shuǐ cǎi bǐ hé yì zhī xiǎo
了，她们送给我一套**水彩笔**和一只小
kǒu qín suī rán wǒ bù xǐ huan huà huà hé yuè qì dàn
口琴，虽然我不喜欢画画和乐器，但
hái shi hěn gǎn xiè tā men
还是很感谢她们。

wǒ hé wǒ de huǒ bàn men zuò zài fàn zhuō qián zhǔn
我和我的伙伴们坐在饭桌前，准
bèi dà chī yí dùn kě shì tiě tóu què chí chí méi yǒu lái
备大吃一顿，可是铁头却迟迟没有来。

jiāng xiǎo yá shuō tiě tóu zěn me méi lái ne
姜小牙说：“铁头怎么没来呢？”

tiě tóu kěn dìng shì bù xiǎng sòng wǒ shēng rì lǐ wù
“铁头肯定是不想送我生日礼物，
jiù bù lái le wǒ hěn nán guò de shuō
就不来了。”我很**难过**地说。

tiě tóu a wǒ men shì hǎo péng you jí shǐ nǐ bú
铁头啊，我们是好朋友，即使你不
sòng wǒ lǐ wù wǒ men yě shì hǎo péng you a nǐ gàn
送我礼物，我们也是好朋友啊。你干
má bù lái cān jiā wǒ de shēng rì huì ne
吗不来参加我的生日会呢？

wǒ men dǎ kāi le shēng rì dàn gāo de hé zi zhè
我们打开了生日蛋糕的盒子，这

shí tiě tóu ná zhe yí gè dà dà de hé zi chū xiàn le
时，铁头拿着一个大大的盒子出现了。

wǒ xiàng dà jiā xuān bù mǐ xiǎo quān shēng rì wǔ cān
我向大家宣布："米小圈生日午餐

huì xiàn zài kāi shǐ
会现在开始。"

tiě tóu dì yī gè chōng xiàng le shēng rì dàn gāo wǒ
铁头第一个冲向了生日蛋糕："我

yào chī wǒ yào chī
要吃，我要吃。"

jiāng xiǎo yá gǎn kuài lán zhù tiě tóu tiě tóu mǐ
姜小牙赶快拦住铁头："铁头，米

xiǎo quān hái méi chuī là zhú ne xiān bù néng chī
小圈还没吹蜡烛呢，先不能吃。"

lǎo mā bāng wǒ bǎ là zhú diǎn zháo wǒ xǔ xià le
老妈帮我把蜡烛点着，我许下了

考试100分……

……

加入少先队……

不用当画家……

yí gè gè měi hǎo de xīn yuàn　　tóng xué men chàng qǐ shēng rì
一 个 个 美 好 的 心 愿 ， 同 学 们 唱 起 生 日

gē　　wǒ yì kǒu qì chuī miè le là zhú
歌 ， 我 一 口 气 吹 灭 了 蜡 烛 。

jiē xià lái　　lǎo mā bāng wǒ men qiē kāi le dàn gāo
接 下 来 ， 老 妈 帮 我 们 切 开 了 蛋 糕 ，

měi rén fēn le yí fèn
每 人 分 了 一 份 。

tiě tóu hěn kuài chī wán le zì jǐ nà fèn　　pǎo dào
铁 头 很 快 吃 完 了 自 己 那 份 ， 跑 到

wǒ de miàn qián　　mǐ xiǎo quān　　nǐ de dàn gāo shì bú shì
我 的 面 前 ： "米 小 圈 ， 你 的 蛋 糕 是 不 是

chī bù wán a
吃 不 完 啊 ？ "

dāng rán néng chī wán　　ò　　hǎo ba　　gěi nǐ
"当 然 能 吃 完 …… 哦 ， 好 吧 ， 给 你

<ruby>一<rt>yí</rt></ruby> <ruby>半<rt>bàn</rt></ruby> 。" <ruby>看<rt>kàn</rt></ruby> <ruby>在<rt>zài</rt></ruby> <ruby>铁<rt>tiě</rt></ruby> <ruby>头<rt>tóu</rt></ruby> <ruby>送<rt>sòng</rt></ruby> <ruby>我<rt>wǒ</rt></ruby> <ruby>那<rt>nà</rt></ruby> <ruby>么<rt>me</rt></ruby> <ruby>大<rt>dà</rt></ruby> <ruby>一<rt>yí</rt></ruby> <ruby>份<rt>fèn</rt></ruby> <ruby>礼<rt>lǐ</rt></ruby>

<ruby>物<rt>wù</rt></ruby> <ruby>的<rt>de</rt></ruby> <ruby>分儿<rt>fènr</rt></ruby> <ruby>上<rt>shang</rt></ruby> ， <ruby>我<rt>wǒ</rt></ruby> <ruby>又<rt>yòu</rt></ruby> <ruby>把<rt>bǎ</rt></ruby> <ruby>我<rt>wǒ</rt></ruby> <ruby>盘<rt>pán</rt></ruby> <ruby>子<rt>zi</rt></ruby> <ruby>里<rt>li</rt></ruby> <ruby>的<rt>de</rt></ruby> <ruby>蛋<rt>dàn</rt></ruby> <ruby>糕<rt>gāo</rt></ruby> <ruby>分<rt>fēn</rt></ruby>

<ruby>了<rt>le</rt></ruby> <ruby>一<rt>yí</rt></ruby> <ruby>半<rt>bàn</rt></ruby> <ruby>给<rt>gěi</rt></ruby> <ruby>他<rt>tā</rt></ruby> 。

    <ruby>铁<rt>tiě</rt></ruby> <ruby>头<rt>tóu</rt></ruby> <ruby>吃<rt>chī</rt></ruby> <ruby>完<rt>wán</rt></ruby> <ruby>蛋<rt>dàn</rt></ruby> <ruby>糕<rt>gāo</rt></ruby> ， <ruby>又<rt>yòu</rt></ruby> <ruby>把<rt>bǎ</rt></ruby> <ruby>桌<rt>zhuō</rt></ruby> <ruby>子<rt>zi</rt></ruby> <ruby>上<rt>shang</rt></ruby> <ruby>好<rt>hǎo</rt></ruby> <ruby>吃<rt>chī</rt></ruby>

<ruby>的<rt>de</rt></ruby> <ruby>都<rt>dōu</rt></ruby> <ruby>吃<rt>chī</rt></ruby> <ruby>光<rt>guāng</rt></ruby> <ruby>了<rt>le</rt></ruby> 。 <ruby>真<rt>zhēn</rt></ruby> <ruby>不<rt>bù</rt></ruby> <ruby>知<rt>zhī</rt></ruby> <ruby>道<rt>dào</rt></ruby> <ruby>这<rt>zhè</rt></ruby> <ruby>是<rt>shì</rt></ruby> <ruby>我<rt>wǒ</rt></ruby> <ruby>的<rt>de</rt></ruby> <ruby>生<rt>shēng</rt></ruby> <ruby>日<rt>rì</rt></ruby>

<ruby>会<rt>huì</rt></ruby> ， <ruby>还<rt>hái</rt></ruby> <ruby>是<rt>shi</rt></ruby> <ruby>铁<rt>tiě</rt></ruby> <ruby>头<rt>tóu</rt></ruby> <ruby>的<rt>de</rt></ruby> ！

    <ruby>铁<rt>tiě</rt></ruby> <ruby>头<rt>tóu</rt></ruby> <ruby>吃<rt>chī</rt></ruby> <ruby>光<rt>guāng</rt></ruby> <ruby>了<rt>le</rt></ruby> <ruby>所<rt>suǒ</rt></ruby> <ruby>有<rt>yǒu</rt></ruby> <ruby>食<rt>shí</rt></ruby> <ruby>物<rt>wù</rt></ruby> ， <ruby>我<rt>wǒ</rt></ruby> <ruby>们<rt>men</rt></ruby> <ruby>的<rt>de</rt></ruby> <ruby>生<rt>shēng</rt></ruby>

<ruby>日<rt>rì</rt></ruby> <ruby>午<rt>wǔ</rt></ruby> <ruby>餐<rt>cān</rt></ruby> <ruby>会<rt>huì</rt></ruby> <ruby>被<rt>bèi</rt></ruby> <ruby>迫<rt>pò</rt></ruby> <ruby>提<rt>tí</rt></ruby> <ruby>前<rt>qián</rt></ruby> <ruby>结<rt>jié</rt></ruby> <ruby>束<rt>shù</rt></ruby> <ruby>了<rt>le</rt></ruby> 。 <ruby>好<rt>hǎo</rt></ruby> <ruby>吧<rt>ba</rt></ruby> ， <ruby>看<rt>kàn</rt></ruby>

铁头，你太过分了……

在 铁 头 送 给 我 大 礼 的 分儿 上 ， 我 原谅 他 一 次 。

对 了 ， 铁 头 送 的 礼 物 我 还 没 来 得 及 看 呢 ， 当 我 打 开 铁 头 的 礼 物 盒 子 时 ， 大 家 都 笑 了 起 来 。

呜 呜 呜 呜 …… 礼 物 盒 子 里 只 是 几 个 气 球 。

tiě tóu shuō　　shì tā zì jǐ bǎ qì qiú chuī qǐ lái
铁 头 说 ， 是 他 自 己 把 气 球 吹 起 来

de　　fèi le bù shǎo lì qi ne
的 ， 费 了 不 少 力 气 呢 。

tiě tóu　　nǐ tài guò fèn le　　wǒ bù gēn nǐ hǎo le
铁 头 ， 你 太 过 分 了 ， 我 不 跟 你 好 了 ！

北猫哥哥的日记魔法

变得精彩的魔法
bián de jīng cǎi de mó fǎ

北 猫 哥 哥

　　现在的你想必已经写出了好几篇日记，自己读一读，它是否足够精彩？

　　如果十分精彩，那么太好了，说明你是一个小天才，将来会成为一位特别特别著名的作家。如果还不够精彩，也不要放弃，有我呢。北猫哥哥要送你一个能让日记瞬间变得精彩的魔法，它就是修改修改再修改，直到它足够精彩为止。

米小圈有一个表弟，周末要来家里玩，他第一稿日记是这样写的——

今天，我的小姨和她的儿子大牛要来家里玩。老妈说，不许欺负大牛，我答应了老妈。

米小圈为了把日记写精彩，改了五遍。他第六稿日记是这样写的——

今天，小姨和她儿子大牛要来我们家玩。大牛比我小两岁，是个很难缠的家伙。

132

老妈告诉我，一定一定不许跟大牛打架。

妈妈啊，大牛那么胖，我这么瘦，即使我想打他，我敢吗？我发现，女人就是天真。

修改之后，看起来是不是更有趣、更精彩了呢？

但有一点我需要说明一下，精彩并不等于胡编。对于日记的精彩和真实性来说，我宁愿选择不精彩但很真实的日记，

因为它记录的是我自己的童年，而不是某个外星人的童年。

所以，要精彩，更要真实的日记。

图书在版编目（CIP）数据

瞧这一家人/北猫著；手指金鹿，老布鲁绘. 一成都：
四川少年儿童出版社，2012.7（2017.8 重印）
　　（米小圈上学记）
ISBN 978-7-5365-5744-4

Ⅰ. ①瞧… Ⅱ. ①北… ②手… ③老… Ⅲ. ①汉语拼
音—儿童读物 Ⅳ. ①H125.4

中国版本图书馆 CIP 数据核字（2012）第 153172 号

出版人	常青
策　划	明琴　黄政
责任编辑	明琴
封面设计	阿咩
插　图	手指金鹿　老布鲁
书籍设计	燕阳
责任校对	党毓
责任印制	袁学团

书　名	**瞧这一家人**
作　者	北猫
出　版	四川少年儿童出版社
地　址	成都市槐树街 2 号
网　址	http://www.sccph.com.cn
网　店	http://scsnetcbs.tmall.com
经　销	新华书店
图文制作	喜唐平面设计工作室
印　刷	成都思潍彩色印务有限责任公司
成品尺寸	210mm × 180mm
开　本	24
印　张	6
字　数	120 千
版　次	2012 年 9 月第 1 版
印　次	2017 年 8 月第 32 次印刷
书　号	ISBN 978-7-5365-5744-4
定　价	16.50 元